The Magical Garden of Claude Monet

莫奈的魔幻花园

[英]劳伦斯·安荷特 著   刘利   译

飞思少儿产品研发中心   监制

電子工業出版社·

Publishing House of Electronics Industry

北京·BEIJING

"我希望有一个属于自己的花园。"茉丽叶一边说，一边向下看着灰白色的小河。河水从城市中流过，流向远方。她有些烦躁，甚至是大灰狗洛伊也在家里呆得腻烦了。

"等我把这幅画完成，"茉丽叶的妈妈说，"我就带你去世界上最棒最美的花园旅游。那个花园是我一个老朋友的，他是一位画家，名字叫做克劳德·莫奈。"

tā men zài wān wān qū qū de xiǎo hé fù jìn tā shang le yī
他们在弯弯曲曲的小河附近踏上了一
liè hēi sè de huǒ chē màn man de huǒ chē lí chéng shì yuè lái
列黑色的火车。慢慢地，火车离城市越来
yuè yuǎn le
越远了……

huǒ chē shǐ jìn le xiāng cūn
火车驶进了乡村。

yī xià huǒ chē　　luò yī jiù
一下火车，洛伊就
kāi shǐ pǎo le qǐ lai　tā pǎo xia le xiǎo shān
开始跑了起来。它跑下了小山，
pǎo jìn le yī tiáo xiǎo lù　nà li shì yī zuò yóu yī miàn jù dà
跑进了一条小路，那里是一座由一面巨大
wéi qiáng bāo wéi zhe de shén mì huā yuán
围墙包围着的神秘花园。

tíng xia　luò yī　　zhū lì yè hǎn
"停下，洛伊！"茱丽叶喊
dào　dàn shì yǐ jīng tài chí le　　luò yī
道。但是已经太迟了——洛伊
yǐ jīng pǎo le jìn qu
已经跑了进去！

zhū lì yè bù zhī dao gāi zěn me bàn
茱丽叶不知道该怎么办
cái hǎo　tā zhǐ hǎo pā zài dì shang niǔ
才好。她只好趴在地上扭
dòng zhe shēn tǐ yě pá le jìn qu
动着身体也爬了进去。

zhè jiù xiàng shì pá jin le yī gè mèng xiǎng
这 就 像 是 爬 进 了 一 个 梦 想
zhōng de shì jiè wān qū chán rào zhe de zhí wù
中 的 世 界 ，弯 曲 缠 绕 着 的 植 物
zhǎng de xiàng shù yī yàng gāo
长 得 像 树 一 样 高 ！

zhū lì yè rào guo yī gè jiǎo luò de shí
茱丽叶绕过一个角落的时
hou chà diǎn zhuàng shang le yī gè ná zhe
候，差点 撞 上了一个拿着
yī bǎ dà tiě qiāo de dà gè zi nán rén
一把大铁锹的大个子男人。
nà ge nán rén dài zhe yī dǐng cǎo mào
那个男人戴着一顶草帽，
liú zhe yī bǎ bái sè de dà hú zi
留着一把白色的大胡子。

zhū lì yè shuō wǒ zài zhǎo wǒ de gǒu
茱丽叶说："我在找我的狗
ne nǐ shì zhè li de yuán dīng ma
呢，你是这里的园丁吗？"
wǒ xiǎng shì ba nà ge rén shuō nà
"我想是吧。"那个人说，"那
nǐ jìn lai kàn kan ba
你进来看看吧。"

jiāng lái de mǒu yī tiān zhè xiē xì xiǎo de yòu miáo huì kāi chu dà dà de huā duǒ
"将来的某一天，这些细小的幼苗会开出大大的花朵。

dàn shì yuán dīng bì xū yào fēi cháng nài xīn jiù xiàng huà jiā yī yàng
但是，园丁必须要非常耐心……就像画家一样。"

zhū lì yè tū rán míng bai le nǐ shì kè láo dé mò nài tā jīng jiào dào
茉丽叶突然明白了。"你是克劳德·莫奈！"她惊叫道。

shì de zhè wèi lǎo rén xiào zhe shuō wǒ jiù shì kè láo dé mò nài
"是的，"这位老人笑着说，"我就是克劳德·莫奈！"

rán hòu tā men yī qǐ qù xún zhǎo luò yī tā men yán zhe yīn liáng de xiǎo lù yī zhí
然后他们一起去寻找洛伊。他们沿着阴凉的小路，一直

xiàng zhe mó huàn huā yuán shēn chù zǒu qu tā men yī zhí bù tíng de zǒu a zǒu a hǎo
向着魔幻花园深处走去。他们一直不停地走啊走啊，好

xiàng bǎ zhēn shí de shì jiè yuǎn yuǎn de pāo zài le shēn hòu
像把真实的世界远远地抛在了身后。

zhū lì yè zài yī zhū liǔ shù xià kàn dào
茱丽叶在一株柳树下看到

le mò nài de yǔ sǎn nà kàn qi lai jiù xiàng
了莫奈的雨伞，那看起来就 像

yī gè jù dà de bái mó gu ér luò yī jiù zài
一个巨大的白蘑菇。而洛伊就在

nà li tā de bí zi shì lán sè de yī zhī
那里！它的鼻子是蓝色的，一只

ěr duo biàn chéng le zǐ sè shēn páng hái
耳朵变成了紫色，身旁还

yǒu yī zhāng lù sè de zhǐ táo qì guǐ
有一张绿色的纸。"淘气鬼！"

zhū lì yè hǎn dào nǐ bǎ mò nài xiān
茱丽叶喊道，"你把莫奈先

shēng de huà quán dōu cǎi le
生的画全都踩了！"

wǒ xiǎng nǐ de gǒu xiǎng yào chéng wéi yī míng huà jiā ò mò nài xiào
"我想你的狗想要成为一名画家哦。"莫奈笑

zhe shuō kàn a tā yě huà le yī fú huà ne
着说，"看啊！它也画了一幅画呢！"

zhū lì yè kàn dào le mò nài de huà tā men zhèng
茱丽叶看到了莫奈的画，它们 正

bèi bǎi fàng zài yáng guāng xià liàng gān
被摆放在阳光下晾干：

zài míng jìng bān de chí táng
在明镜般的池塘

shang piāo fú de yún cai
上漂浮的云彩，一

duī mǎn jīn huáng sè gān cǎo duī de tián yě
堆满金黄色干草堆的田野，

yī zuò rì shì
一座日式
xiǎo qiáo
小桥，

yī háng xī shū
一行稀疏
de bái yáng shù
的白杨树，

xiàng huā yuán zhōng de huā er yī yàng càn làn de máo shuā zhuàng huà hén
像花园中的花儿一样灿烂的毛刷状画痕。

tā men zhuàn dòng le yī shàn dōng dǎo xī wāi de dà
他们 转 动 了 一 扇 东 倒 西 歪 的 大

mén shang de shǒu bǐng zǒu le jìn qu
门 上 的 手 柄，走 了 进 去。

zhè jiù hǎo xiàng shì huā yuán zhōng de huā yuán
这 就 好 像 是 花 园 中 的 花 园——

zhè shì yī zuò zì rán cháo shī de shuǐ shàng huā yuán liǔ
这 是 一 座 自 然 潮 湿 的 水 上 花 园，柳

shù de zhī tiáo chuí luò zài píng jìng de hú miàn shang
树 的 枝 条 垂 落 在 平 静 的 湖 面 上。

tā men yī qǐ zǒu guo lù sè de xiǎo qiáo
他们一起走过绿色的小桥。

当他们划着小船穿越湖面的时候，感觉就像在莫奈先生的画里漂游。

zhū lì yè tīng dào chuán jiǎng jī dàng zhe shuǐ mian de shēng yīn　hái yǒu cóng shù
茉丽叶听到 船 桨 激荡着水面的声音,还有从树
lín li chuán lai de niǎo jiào shēng
林里传来的鸟叫声。

zài tā men zhōu wéi　shuì lián jìng xiāng kāi fàng　hǎo xiàng wǔ yè de xīng kōng
在他们周围,睡莲竞相开放,好像午夜的星空。
dāng tā men dào dá xiǎo hú de zhèng zhōng yāng shí　mò nài cóng shuǐ zhōng cǎi xia yī
当他们到达小湖的正中央时,莫奈从水中采下一
duǒ huā　　suǒ yǒu shuǐ lián zhōng zuì dà de nà yī duǒ　xiàng yín bái sè de xīng xing yī
朵花——所有睡莲中最大的那一朵,像银白色的星星一
yàng míng liàng xiān yàn
样明亮鲜艳。

lái zì wǒ de shuǐ shàng huā yuán de xiǎo lǐ wù　sòng gěi nǐ　tā shuō
"来自我的水上花园的小礼物,送给你。"他说。

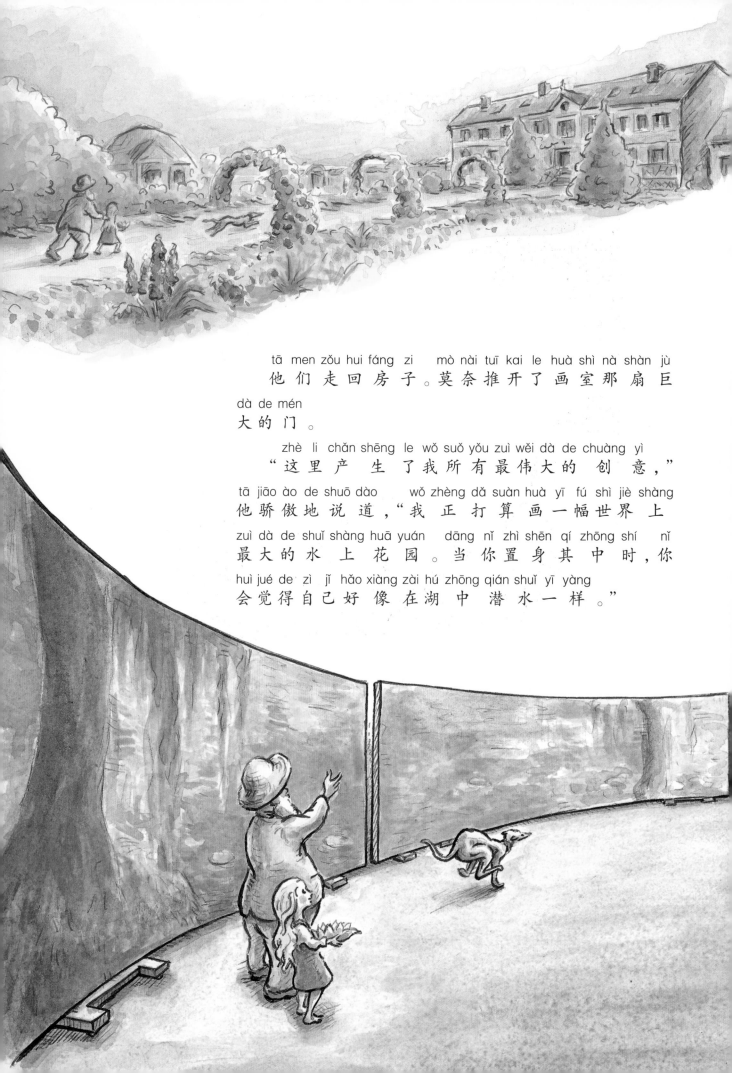

他们走回房子。莫奈推开了画室那扇巨大的门。

"这里产生了我所有最伟大的创意,"他骄傲地说道,"我正打算画一幅世界上最大的水上花园。当你置身其中时,你会觉得自己好像在湖中潜水一样。"

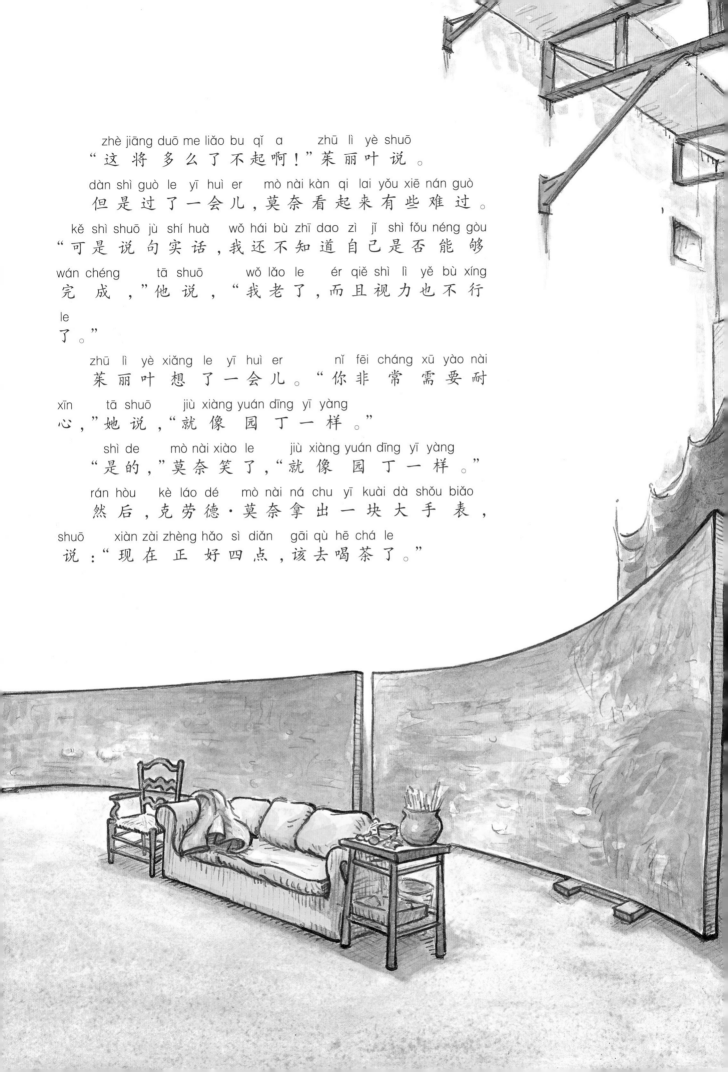

“这将多么了不起啊！”茱丽叶说。

但是过了一会儿，莫奈看起来有些难过。

“可是说句实话，我还不知道自己是否能够完成，”他说，“我老了，而且视力也不行了。”

茱丽叶想了一会儿。“你非常需要耐心，”她说，“就像园丁一样。”

“是的，”莫奈笑了，“就像园丁一样。”

然后，克劳德·莫奈拿出一块大手表，说：“现在正好四点，该去喝茶了。”

zài yī jiān sì zhōu guà mǎn rì běn tú huà de huáng sè cān
在一间四周挂满日本图画的黄色餐
tīng li mò nài tài tai hé zhū lì yè de mā ma zhèng zuò zhe děng
厅里，莫奈太太和茱丽叶的妈妈正坐着等
hòu tā men
候他们。

zhè jiù shì nǐ nà lí jiā chū zǒu de hái zi mò nài shuō
"这就是你那离家出走的孩子！"莫奈说。

hěn kuài jiù dào le yào lí kāi de shí hou le
很 快 就 到 了 要 离 开 的 时 候 了。

mò nài péi zhe tā men zǒu le hěn yuǎn yī zhí zǒu dào le
莫 奈 陪 着 他 们 走 了 很 远 ，一 直 走 到 了

xiǎo hé biān
小 河 边 。

luò yī yě xiǎng gēn mò nài xiān shēng gào bié dàn shì dāng
洛 伊 也 想 跟 莫 奈 先 生 告 别 ，但 是 当

tā tiào qi lai de shí hou zhū lì yè nà měi lì de shuì lián diào
他 跳 起 来 的 时 候 ，茱 丽 叶 那 美 丽 的 睡 莲 掉

dào le xiǎo hé li
到 了 小 河 里 。

luò yī zhū lì yè hǎn dào nà kě bú shì yī
"洛 伊 ！"茱 丽 叶 喊 道 ，"那 可 不 是 一

duǒ yī bān de shuì lián a
朵 一 般 的 睡 莲 啊 ！"

tā men chéng huǒ chē fǎn huí le chéng li   lián
他们 乘 火车 返回 了 城 里，连
luò yī yě gǎn dào lèi le   mò nài de huā yuán hǎo
洛伊也 感 到 累 了。莫奈 的 花 园 好
xiàng chéng le yī gè yáo yuǎn de mèng
像 成 了 一个 遥 远 的 梦 。

dàn shì bàn yè li　　zhū lì yè què tīng dào luò yī jiào huàn zhe pǎo dào le wài
但是半夜里，茉丽叶却听到洛伊叫唤着跑到了外

mian　　tā diǎn zhe jiǎo jiān chuān guo fáng jiān　　kàn jian yáng tái xià mian de xiǎo hé li
面。她踮着脚尖穿过房间，看见阳台下面的小河里

yǒu shén me dōng xi zhèng zài shǎn shǎn fā guāng
有什么东西正在闪闪发光。

zhū lì yè pǎo le chū qu　　tàn shēn cóng hēi àn de shuǐ zhōng shí qi le yī duǒ
茉丽叶跑了出去，探身从黑暗的水中拾起了一朵

shuì lián　　　　xiàng yín bái sè de xīng xing yī yàng míng liàng de shuì lián
睡莲——像银白色的星星一样明亮的睡莲。

"也许这是来自水上花园的一份小礼物。"她低声说道。

当整个城市都在沉睡时，茉丽叶正呼吸着克劳德·莫奈魔幻花园中的甜美香气。

10